J

En sortant de l'école

Yves Pinguilly
illustrations de Manu Ruch

MAGNARD

QUE D'HISTOIRES !

Ce roman est également publié
dans la collection « Les p'tits Policiers »,
animée par Jack Chaboud,
aux éditions Magnard *Jeunesse*.

Dépôt légal : février 2002 - N° d'éditeur : 2002/118
Imprimé par Pollina s.a., 85400 Luçon - n° L 86076-C

1

C'ÉTAIT UN JOUR comme les autres, bien sûr, avec le ciel à la place du ciel et l'école en face du garage. Mais ce jour-là, c'était aussi le jour des vacances. Ceux qui attendaient le père Noël étaient pressés d'avoir une réponse à leurs lettres, les autres savaient bien qu'ils auraient aussi des cadeaux!

Suzanne était sortie avant Théo. Ils étaient tous les deux en CM2, mais pas dans la même classe. Dommage pour eux…

Avec un œil, elle regardait si Théo arrivait, s'il allait enfin être libéré, et avec l'autre, elle zyeutait l'autre côté de la rue. Après cinq minutes d'attente, c'est avec ses deux yeux qu'elle admira la superbe voiture décapotable garée là, en face, juste devant le garage. Ce n'était pas une décapotable ordinaire, comme celles d'aujourd'hui. Non : c'était une décapotable d'avant... de l'époque du cinéma en noir et blanc. C'était une décapotable américaine, peut-être en fer, avec du rose aux ongles, du bleu aux yeux et du rouge aux lèvres. Une star, rien de moins.

« Tu en fais, une tête, tu as vu le président de la République, ou la petite marchande d'allumettes ?

— Mieux, regarde toi-même. »

Il jeta un coup d'œil et, comme chaque fois qu'il était épaté, il siffla avant de parler.

« Si elle était en or, elle ne serait pas plus belle », dit-il.

Sans se concerter, ils se prirent la main et traversèrent la grande rue. Ils s'approchèrent de la voiture, toute luisante et blanche et rouge. Le blanc, c'était pour la carrosserie, le rouge, pour le cuir des sièges.

« T'as vu ça, Suzanne ? On dirait une gueule de crocodile ouverte sur le ciel. »

Théo désignait le coffre de la voiture. Il avait raison. Le coffre, ouvert de haut en bas, ressemblait à une gueule, mais une gueule confortable, puisqu'elle aussi était habillée de cuir

rouge. C'était un coffre pour deux personnes, si besoin. Deux personnes
ordinaires, pas des patapoufs du genre
Hardy, mais plutôt des maigres, genre
Laurel.

« On l'essaie ?

— On ne sait pas conduire !

— Pas pour conduire, juste pour
s'asseoir, pour voir quel effet ça fait
d'être comme un roi et une reine qui
partiraient de l'autre côté de la terre,
en vacances de Noël.

— D'accord, mais on essaie le coffre
d'abord, puisqu'il est ouvert. »

Sans demander aucune permission, ils sautèrent dans la voiture et s'installèrent l'un contre l'autre. Ils posèrent leurs cartables sur leurs genoux.

« Alors?

— C'est bien, et même très bien… »

Théo n'eut pas le temps de continuer sa phrase. CLAC: le coffre se referma sur eux, les enfermant comme dans la meilleure prison du monde. Était-ce un coup de vent qui avait fait le coup? Était-ce un mauvais tour d'un nain ou d'un génie des routes? Impossible de le savoir.

2

DANS LE NOIR de la cachette où ils étaient prisonniers, ils se prirent la main une fois de plus.

« Théo, qu'est-ce qui nous arrive ?

— Rien du tout, dans cinq minutes au plus, on va nous sortir de là.

— Qui ?

— Le garagiste ou les pompiers ou quelqu'un d'autre... »

Cinq minutes passèrent, sans autre événement.

« On est comme dans le terrier du lapin.

— Exact, à part qu'on est serrés à cent pour cent. Faudrait qu'on devienne aussi petits que des confettis.

— C'est bien aussi d'être l'un contre l'autre à cent pour cent, mais qu'est-ce qui se passe ? »

Ils cessèrent un instant de respirer. Ils eurent peur.

« On s'envole ?

— Oui, je crois qu'on s'envole. »

Ils avaient raison. À l'extérieur, à l'air libre, le garagiste faisait des grands gestes et guidait le chauffeur d'un camion qui avait fait décoller la voiture avec son élévateur.

« Un peu à gauche et tu laisses descendre tout doux, d'accord ?

— D'accord, Max. Si tu veux, cette bagnole, je te l'enveloppe dans du papier de soie en plus !

— Inutile, tu la poses dans sa caisse, tu fermes et… en voiture Simone! »

Dans leur coffre, dans le noir, Suzanne et Théo se tenaient toujours par la main, bouche cousue. Ils essayaient de comprendre ce que disaient les voix qu'ils entendaient à peine, au loin. Quelques minutes plus tard, Suzanne annonça :

« On roule, mais ce n'est pas notre voiture qui roule.

— Quoi ? »

Elle répéta :

« On roule, mais ce n'est pas notre voiture qui roule. »

Il leur fallut un petit moment pour comprendre. Le temps passa. Main dans la main, ils s'endormirent.

3

UNE **HEURE** ou un jour plus tard, quand ils se réveillèrent, ils étaient de nouveau dans les airs.

« Qu'est-ce qui se passe ? »

BING ! Le choc ne fut pas trop rude, mais quand même : ils sentirent, de leurs doigts de pied jusqu'au haut de leur crâne, une onde de choc qui leur fit plus de mal que de bien.

« C'est pas vrai, ça, on n'est pas des pommes de terre dans un sac, quand même !

— Chut, écoute. »

Les voix qui parlaient étaient assourdies. Ils durent tendre l'oreille pour entendre un peu mieux.

« Cette bagnole est plus chouette qu'une chouette, elle en mettra plein la vue à n'importe quel flic.

— Tu as raison, Max, et celui qui devinerait qu'elle est comme qui dirait la cousine d'un coffre-fort n'est pas encore né !

— Mon petit Fred, on est les plus forts. Non seulement on a réussi notre coup, mais on a été assez futés pour se ranger des voitures pendant cinq ans…

— Ouais, cinq ans exactement, sans compter que pendant ce temps il y a eu une année bissextile ! »

Ils éclatèrent de rire.

Suzanne et Théo avaient entendu. Ils ne firent tout d'abord aucun commentaire. Après un petit moment, Théo murmura :

« Inutile d'attendre les pompiers ou le Samu ou quoi que ce soit. On a affaire à des bandits.

— Oui, et même, si j'ai bien compris, dans le genre bandits, ils sont champions du monde.

— Faut qu'on sorte de là sans aide. »

Une fois de plus, ils se turent. Théo se concentra comme un tireur de penaltys. Il s'exclama :

« Je sais quoi faire.

— Que… quoi… faire ?

— Exactement. J'ai dans mon cartable mon cadeau d'anniversaire.

— Et alors ?

— C'est un couteau suisse, un couteau à quinze lames avec en plus une mini-lampe électrique au bout du manche.

— Tu vas à l'école avec une arme, maintenant ?

— Mais non, c'était après-midi bricolage, avant l'heure des vacances. Mon couteau suisse, c'est un peu comme une boîte à outils, si tu veux. »

Il fouilla dans son cartable et en sortit le couteau. Il alluma sa mini-lampe, inspecta leur prison. Ils virent la serrure, à peine au-dessus de leurs têtes.

«Je vais l'attaquer, cette serrure, mais il faut que je bouge un peu.»

Théo se tortilla comme un ver de terre se promenant dans une salade. Ce n'était pas facile et il manquait d'air pour respirer à son aise. Après beaucoup d'efforts, il dit :

« Je crois que ça va aller, j'attaque la serrure.

— Fais vite, parce que tu m'écrases la moitié de la tête. »

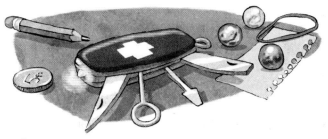

Il essaya avec la lame-tournevis, mais les deux vis de la serrure avaient mauvais caractère : ni l'une ni l'autre ne voulut bouger d'un seul millième de millimètre. Théo était en sueur et il avait de plus en plus besoin d'oxygène.

Suzanne, elle, se retenait de crier. Elle pensait: « Si ça continue trop long-temps, je sortirai de là avec le nez de travers pour toute la vie. »

Théo changea de stratégie. Il choisit la lame la plus épaisse de son couteau et s'en servit comme d'un levier. Il fit un ultime effort et poussa, en vidant ses poumons du peu d'air qu'il avait réussi à aspirer. Ni lui ni Suzanne n'en-tendit le clic ou le clac de la serrure, mais Théo avait senti quelque chose céder. Il tourna le manche de son cou-teau pour que sa mini-lampe éclaire la situation.

« Suzanne, je crois qu'on a gagné. À trois, on pousse ensemble. »

Ils comptèrent jusqu'à trois et poussèrent : gagné. Le coffre s'ouvrit et ils se retrouvèrent… encore dans le noir.

« On est où ?

— Ne bouge pas, je vais te le dire. »

Il sortit du coffre avec prudence. Ses membres étaient ankylosés et il avait peur que ses jambes ne le portent pas. Suzanne s'étira autant qu'elle put. Théo, armé de sa mini-lampe, inspectait leur territoire.

« On est toujours prisonniers, mais dans une caisse en bois.

— Quoi ?

— Oui, on est dans une grande caisse où la voiture est enfermée.

— On peut sortir à l'air libre ?

— Peut-être… »

Elle le rejoignit. Ils cherchèrent à tâtons une issue.

« Voilà la serrure.

— Encore ! »

Théo éclaira et s'exclama :

« Facile. C'est comme chez moi.

— C'est-à-dire ?

— C'est un verrou, il suffit de tourner. Ça s'ouvre avec une clé de l'extérieur, mais avec deux doigts de l'intérieur. »

Ils tournèrent la molette et… ils sortirent.

« Ouf !

— Tu l'as dit, ouf ! »

4

LE SPECTACLE qu'ils découvrirent les laissa bouche bée. Un instant, ils se crurent au cinéma. Ils étaient sur un bateau, un cargo tout éclairé. C'était la nuit. Les étoiles ne se reflétaient même pas dans la mer, qui était aussi noire que la nuit.

« Ça alors…

— Oui, comme tu dis. Qu'est-ce qu'on peut faire ?

— Théo, il y a urgence, moi je veux d'abord faire pipi et j'ai faim et j'ai soif. Pas toi ?

— Si, moi aussi j'ai envie de faire pipi et j'ai faim et j'ai soif. Viens.

— Où ?

— On va chercher un peu et trouver ce qu'il nous faut, mais prudence. »

Ils se faufilèrent dans un long couloir, entre plusieurs étages de containers. Entre deux de ces caisses géantes de ferraille, ils s'arrêtèrent faire pipi dans la nuit. Ils arrivèrent sur une petite plate-forme, d'où une échelle descendait.

« On y va ?

— Oui, on n'a pas le choix. »

Ils descendirent, aussi silencieux qu'un couple de loups marchant avec des chaussons de feutre. Ils ouvrirent la première porte qui se présenta et continuèrent, par la coursive de bâbord. Les portes qu'ils ouvrirent ne leur offrirent aucun refuge. Ici, ils découvrirent le matériel de sécurité incendie ; plus loin, des cadrans et des gilets de sauvetage ; enfin, ils trouvèrent leur bonheur : la cuisine.

« C'est du luxe, non ?

— Oui, c'est mieux qu'à l'école. »

La cuisine était grande. Aussi propre qu'une infirmerie. On entendait ronronner les réfrigérateurs. Ils fouillèrent. Ils se servirent en saucisson et en fromage. Ils avaient tellement faim qu'ils prirent du rab. Ils burent une bouteille entière d'eau minérale.

Alors qu'ils allaient ramasser leurs miettes, ils aperçurent un poste de radio posé sur une étagère.

« On écoute les nouvelles ?

— Les infos, si possible, mais doucement. »

Ils captèrent les informations. Ils entendirent parler des élections américaines. Ensuite, le journaliste leur offrit des chiffres concernant le nombre d'enfants de moins de douze ans qui travaillent dans le monde. Et puis, sans reprendre même son souffle, il continua par quelques mots sur la Finlande, pays d'origine du père Noël…

« Théo, prenons quelques provisions de bouche… le plus possible.

— Oui, vite… »

Le journaliste devait être le fils ou le petit-fils du père Noël, parce qu'il savait vraiment tout. Et comment était la maison du père Noël, et ce qu'il aimait manger, et comment il préparait sa tournée dans le monde, et tout et tout.

Théo et Suzanne remplirent deux grands sacs plastique aussi bien, certainement, que le père Noël devait remplir sa hotte avant sa tournée. Ils y mirent des conserves, du pain et, bien sûr, du fromage et du saucisson. Ils ajoutèrent quatre bouteilles d'eau minérale qui se trouvaient là. Ils n'eurent pas le temps de prendre plus. Au-dessus de leur tête, ils entendirent marcher.

« Vite. »

Ils sortirent et se cachèrent dans un coin, derrière une grande poubelle. Ils entendirent crier :

« Alerte… il y a des clandestins. Vite, qu'on me les trouve et qu'on me les jette à l'eau ! »

Ils se firent le plus petits possible. Deux hommes passèrent devant eux. Le premier portait une casquette blanche et tenait un revolver à la main.

« Viens. »

Ils attendirent que les deux hommes disparaissent et s'éclipsèrent du côté opposé. Ils regagnèrent la caisse dans laquelle leur voiture attendait. Ils refermèrent le verrou à double tour.

Quand leur cœur eut repris un rythme normal, Théo ralluma le poste de radio. Il entendit :

« *Une fois de plus, nous diffusons l'appel des mamans des deux enfants disparus hier à la sortie de l'école Jacques-Prévert. Le jeune Théo et son amie Suzanne, vous le savez si vous nous avez écoutés, se sont volatilisés. Pas un seul élève de l'école n'a pu donner la moindre information à la police.*

Chacun pense à un enlèvement, et surtout les mamans. Écoutez-les, elles s'adressent aux ravisseurs éventuels. »

Ils entendirent leurs mères supplier et pleurer.

« Ça alors, je ne savais pas que ma mère m'aimait à ce point-là, commenta Théo.

— C'est normal, c'est ta mère. Elle est exactement comme ma mère et comme toutes les mères. »

5

QUAND ils se réveillèrent, un rayon de soleil s'était glissé avec eux dans la caisse.

« On fait quoi ?

— Rien.

— Rien ?

— Qu'est-ce que tu veux faire, Suzanne ? Retourner en France à la nage ? »

Elle ne répondit pas. Ils se voyaient peu. Le petit rayon de soleil était toujours là. Théo déclara :

« Ici, pour l'instant, on ne risque rien. La porte de la caisse est fermée. Ils ne peuvent deviner qu'on est à l'intérieur. On n'a rien à faire, sauf trouver pourquoi cette voiture compte tant pour le "coup" qu'ont fait les bandits. »

Le mince rayon de soleil, plus la lampe du couteau suisse, c'était assez pour inspecter la voiture. Alors, ils regardèrent les roues, le moteur, les sièges, et Théo se glissa dessous pour inspecter le châssis. Rien.

« Suzanne, il n'y a pas de trésor là-dedans. On a regardé partout!

— Il y en a un, c'est forcé. Tu les as entendus parler, comme moi.

— Alors, c'est un mystère… »

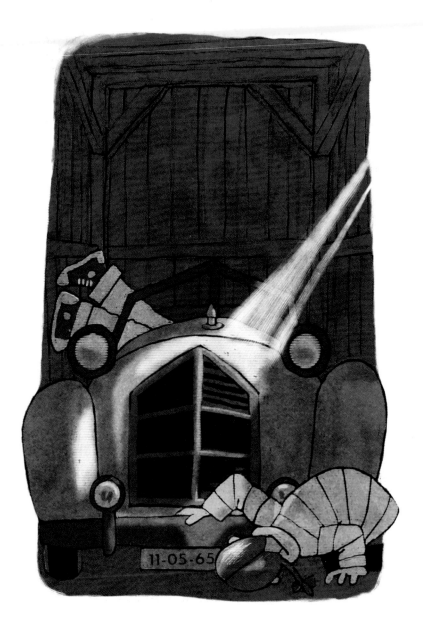

Le temps passa. Ils entendaient au loin l'équipage qui cherchait les clandestins. De temps en temps, ils mangeaient un peu. Après une nouvelle nuit passée à l'abri, dans leur caisse, il y eut une alerte rouge. Les marins cherchaient, pas loin d'eux. Ils entendirent :

« Capitaine, c'est peut-être tout simplement un homme de l'équipage qui a volé des vivres dans la cuisine. »

Ils reconnurent la voix de Max, qu'ils avaient entendue quand il parlait à Fred, son complice.

« Peut-être, répondit le capitaine, mais on n'est jamais trop prudent. Avec notre trésor à bord, on doit tout vérifier et revérifier.

— L'Afrique n'est plus loin ?

— Dans moins de trois jours on y sera, après, plus d'escale d'ici Tokyo.

— À votre avis, capitaine, Picasso et Matisse, c'était le genre à avoir le mal de mer ou le genre loup de mer ? »

Le capitaine ne répondit pas, ils éclatèrent de rire.

Théo et Suzanne restèrent au moins cinq minutes sans se parler. Ils étaient tristes et fatigués. Ils avaient envie de pleurer.

« L'Afrique ? Mais il y a des lions et des serpents en Afrique !

— Il y a eu des famines en Afrique, plus des guerres. Peut-être que tous les lions et les serpents sont morts. »

Ils n'en dirent pas plus. C'est seule-

ment quand la nuit complète eut enve-
loppé tout le bateau qu'ils décidèrent
d'un plan d'action.

« Oui, tu as raison, Suzanne.

— J'ai raison, sauf si tu trouves
mieux.

— J'ai pas mieux à proposer, alors
d'accord. Dès que le bateau sera à quai,
on se glisse le plus près possible de la
passerelle et on sprinte. C'est mieux que
de plonger dans l'eau grasse du port. Je
suis certain qu'aucun marin ne court
aussi vite que nous. À terre, on dispa-
raîtra, après, on trouvera de l'aide. »

6

QUAND ILS SENTIRENT les machines changer de rythme et le bateau frémir légère-ment, ils comprirent : le port devait être en vue. Leurs oreilles les renseignaient. Le capitaine hurlait ses ordres. Il fallut encore qu'une bonne heure se passe avant que le bateau ne soit à quai.

« Attendons encore.

— Longtemps ?

— Un peu, c'est plus sûr. Les premières minutes, ils vont guetter comme des sentinelles en temps de guerre. »

Ils attendirent.

7

A PRÈS AVOIR OUVERT la porte de la caisse, ils attendirent un peu. Ils laissèrent le temps à leurs yeux de s'habituer à la lumière dure qui enveloppait le bateau. Quand ils furent à peu près sûrs que la voie était libre, ils se faufilèrent. Ils firent plusieurs haltes dans les recoins et derrière les caisses.

Ils aperçurent la passerelle qui descendait du bateau vers le quai.

« On a une chance sur deux de gagner.

— Deux chances sur trois si on égale notre record. Tu es prête ?

— Oui.

— À trois, on y va. Tu me suis et si par malheur on se perd, chacun pour soi !

— Théo, tu es mon frère et même plus.

— Plus, je préfère… »

C'est à deux mètres de la passerelle qu'ils furent repérés. Au moins dix marins foncèrent à leurs trousses. Théo et Suzanne ne jetèrent pas un seul regard en arrière, il leur fallait aller de l'avant, et le plus vite possible.

Arrivés sur le quai, ils ne regardèrent aucune des grues et aucun des dockers noirs qui travaillaient là. Quand ils eurent fait deux cents mètres, ils eurent l'impression que derrière eux leurs poursuivants étaient plus nombreux. Théo choisit de prendre à droite et tout de suite à gauche. Suzanne, en pleine forme, suivait sans problème. Ils se retrouvèrent presque au cœur de la ville, dans une grande rue commerçante. Ils avaient pris un peu d'avance.

Théo se retourna et cria à Suzanne : « Là, suis-moi ! »

Il désignait un grand magasin ouvert sur la rue, à l'enseigne « La mode de Paris ». Il y avait, au milieu d'une dizaine de mannequins costumés, une belle mariée noire aussi immobile qu'une statue. Normal, elle était en cire. Près d'elle, un beau marié noir avait un habit gris, très classe.

« Glissons-nous là-dessous.

— Où?

— Sous la robe de la mariée. »

Suzanne suivit Théo sous les dentelles de la robe.

« Ça va?

— Pour l'instant, ça va. »

Ils entendirent autour d'eux une foule qui arrivait et qui demandait:

« Où sont partis les voleurs? »

Une sirène leur perça les oreilles. Ils comprirent que les choses devenaient encore plus sérieuses. C'était la police. Des portières claquèrent.

« Expliquez-moi ce qui se passe. »

La voix était rude.

« C'est le moment, Suzanne, sortons de là et c'est nous qui expliquerons tout. Viens! »

Ils sortirent et sautèrent presque au cou du chef de la police.

« Les voilà, ce sont les voleurs!

— Non, ce n'est pas nous, c'est les bandits du bateau. Ils cachent dans une voiture un trésor ou quelque chose qu'ils ont volé. Oui, sur une voiture de collection qui est dans le bateau… »

Le chef de la police africaine prit l'affaire au sérieux. Il avait plusieurs fois arrêté près du port des trafiquants de drogue, d'armes, et aussi des garçons et des filles qui voulaient partir sans papiers pour l'Europe. Avec ses hommes, il alla jusqu'au bateau et monta à bord. Il demanda à voir la voiture de collection. Tous les marins étaient là, plus Théo et Suzanne. Le capitaine du bateau, assisté de Max et de Fred, ouvrit la grande caisse en bois qui protégeait la voiture.

« Ça alors, je n'ai jamais vu ça ! s'exclama le chef de la police.

— C'est vrai qu'elle est belle, c'est un bijou », dit le capitaine en souriant.

Suzanne et Théo n'avaient pas bougé.

« Cette voiture a un secret, affirma Théo.

— Son seul secret, c'est son prix. Elle coûte très cher. C'est un modèle unique et c'est un Japonais qui va en prendre livraison à Tokyo.

— Un modèle unique! répéta le chef de la police, émerveillé.

— Oui, unique comme le tableau d'un peintre. Dans son genre, c'est un Picasso... »

Après avoir lu les documents concernant l'exportation de la voiture, le chef déclara:

« Tout est en règle, ici. Il ne nous reste plus qu'à arrêter les passagers clandestins et à les mettre en prison. »

Théo regarda Suzanne qui, depuis un moment, levait la main, comme à l'école. Sans prévenir, elle hurla:

« J'ai trouvé! La maîtresse nous en a parlé! J'ai trouvé. »

Tous la regardèrent.

Elle ajouta.

« J'ai trouvé. Il y a exactement cinq ans, on a volé des tableaux à Paris, des Picasso et des Matisse, ou… des Picatisse et des Matisso. Je suis sûre qu'ils sont cachés dans cette voiture; il faut chercher, j'ai entendu le capitaine et ses hommes parler de Picasso et de Matisse. Oui c'est ça, Picasso et Matisse… »

Elle se tourna vers le chef de la police et lui affirma :

« Si vous ne cherchez pas, je préviendrai le président de la république de France. »

C'était la première fois qu'une écolière parlait ainsi au commandant. Il fut impressionné. Et puis, il savait que le président de France était l'ami du président de son pays. Il décida :

« Que l'on fouille cette voiture. Ça ne nous fera perdre que peu de temps. »

Ils fouillèrent. Ils refouillèrent. Ils farfouillèrent. Rien.

Ils s'apprêtaient à mettre les menottes à Suzanne et à Théo quand un policier dit :

« Il y a encore quatre cachettes que nous n'avons pas explorées. »

Tous le regardèrent. Il ajouta :

« Quand on a trouvé de la drogue, l'année dernière, dans une voiture, elle était cachée dans les pneus. Cherchons dans les pneus.

— Mais un tableau, c'est un carré ou un rectangle, se moqua le capitaine.

— Non. Un tableau, c'est une toile qui se roule, si l'on veut », affirma le policier.

Ils dévissèrent les roues, et retirèrent les pneus: oui! Quatre tableaux étaient roulés là, un dans chaque roue.

Sans attendre l'ordre de leur chef, tous les policiers sautèrent sur le capitaine du bateau et sur les hommes d'équipage. Ils les arrêtèrent. Quand ce fut fait, Théo, qui n'avait encore rien dit, suggéra:

« Et la roue de secours?

— C'est vrai, ça! »

Oui: elle cachait un beau Picasso, peint quand il était jeune homme, on y voyait un garçon et une fille. Il avait pour titre: *En sortant de l'école.*